Mari Jones a'i Beibl

gan MIG HOLDER

Testun Cymraeg gan Margaret Cynfi

Dylunio gan Tony Morris

Cyhoeddwyd gan Cyhoeddiadau'r Gair

mewn cydweithrediad â Chymdeithas y Beibl

Yng nghanol bryniau Cymru safai bwthyn taclus o gerrig llwydion, ac o'i gwmpas 'roedd gardd amryliw fel cwilt cartref o lysiau a blodau, bresych gwyrdd a blodau melyn, ffa dringo â'u blodau cochion, a llwyni porffor isel o fân lysiau. 'Roedd y caead pren ar bob ffenestr, (y gellid ei gau yn y gaeaf i gadw'r gwyntoedd rhewllyd allan), yn llydan agored. 'Roedd y drws ffrynt hefyd yn agored, a haul haf yn tywynnu ar lawr llechi glân y cyntedd. Edrychai popeth yn hapus a di-gyffro.

Popeth hynny yw, ond y ferch a redodd yn sydyn allan trwy'r drws agored. 'Roedd yn ddigon hawdd gweld ei bod mewn tymer ddrwg. Curodd ei throed ar y llawr, a gwaeddodd rywbeth wysg ei chefn yn ôl i'r bwthyn. Yna, â gwg ar ei hwyneb cerddodd yn ei thymer i gefn y tŷ gan ymddangos ymhen munud â'i ffedog wen yn llawn o rywbeth. Rhoddodd ei llaw yn ei ffedog, tynnodd allan ddyrnaid o rywbeth a'i daflu ar y llawr.

"Dyma chi, y pethau swnllyd gwirion", gwaeddodd.

Ar unwaith, daeth dwsin o ieir i'r golwg, gan grafu'u ffordd allan o'r llwyni. Taflodd y ferch gonglau ei ffedog oddi wrthi, a thywallt gweddill y grawn dros yr ieir rywsut rywsut.

"Rydwi'n eich casáu chi, 'dwi'n eich casáu chi", meddai dan ei gwynt, fel y syrthiai'r grawn i'r llawr. Yna rhuthrodd yn ei thymer i ben pella'r ardd, a thaflu'i hun i lawr o dan goeden afalau.

Enw'r ferch oedd Mari, ac 'roedd yn byw tua dau gan mlynedd yn ôl ar gwr pellaf pentre bach yng Nghymru. 'Roedd ei theulu'n bur dlawd, ac 'roedd yn rhaid iddi hi a'i mam a'i thad weithio'n galed iawn i ennill eu bywoliaeth. Gwehydd oedd Mr. Jones ei thad. Byddai'n eistedd wrth ei ŵydd yn ystafell gefn y bwthyn drwy gydol y dydd, gan wibio'r wennol yn ôl ac ymlaen i wneud brethyn i'w werthu yn y farchnad, neu i'r bobl gyfoethog o gwmpas.

Gwyddai Mari pa mor galed 'roedd ef yn gweithio - ac fe wnâi ymdrech i helpu. Ond weithiau fe deimlai'n ddiflas iawn.

"Mae bywyd yn ddiflas," meddai wrthi ei hun, gan rwygo'r gwair yn ei thymer. "Mae pob diwrnod 'r un fath â'r un o'i flaen.

Ni allai Mari ddarllen nac ysgrifennu, ac nid oedd ysgol yn agos iddi fynd iddi. Felly, bob dydd, 'roedd yn rhaid i Mari helpu'i mam i lanhau'r tŷ ac i edrych ar ôl yr ardd. Bob dydd byddent yn pobi bara ac yn gwneud cawl. Bob nos byddent yn trwsio a gwnïo'u dillad. Bob dydd byddai Mari'n bwydo'r ieir. Bob nos byddai'n eu cau'n ofalus yn y cwt ieir, rhag ofn llwynog.

Gan amlaf 'roedd Mari'n hapus, ond weithiau byddai'n blino gwneud yr un gwaith drosodd a throsodd, er enghraifft chwynnu'r ardd pan oedd newydd wneud hynny y diwrnod cynt! Byddai'n sefyll yn yr ardd yn edrych i lawr i'r dyffryn, gan hiraethu am ffrind i chwarae gyda hi. Oherwydd anaml y gwelai'r teulu neb arall, 'roedd eu cymydog agosaf hanner milltir i ffwrdd.

Ond dydd o orffwys oedd dydd Sul. 'Roedd y ffrâm wau fawr yn dawel, y tŷ fel pin mewn papur, a Mari a'i mam wedi crasu digon o fara ddydd Sadwrn i barhau tan ddydd Llun. Ar fore Sul, pa dywydd bynnag fyddai hi, cerddai'r teulu dros y bryn i'r capel.

'Roedd dwy filltir o ffordd i'r pentref, ond 'roedd Mari wedi arfer cerdded, a gwyddai fod pob cam yn dod â hi'n nes at ei hychydig ffrindiau - plant y teuluoedd eraill a oedd yn byw yn y dyffryn.

Byddent yn galw ar ei gilydd y tu allan i'r capel, ac yn chwifio'u dwylo, gan gyfnewid newyddion mewn lleisiau uchel, nes byddai'r bobl mewn oed yn eu tawelu a mynd â hwy i fewn i'r capel.

'Roedd y gwasanaeth yn hir iawn bob amser. Byddai Mari wrth ei bodd yn canu'r emynau, ond suddai ei chalon pan godai'r gweinidog ar ei draed i ddechrau pregethu. 'Roedd ei lais fel petai'n grwnian ymlaen am oriau, ac 'roedd yn anodd iawn ei ddeall. 'Roedd y seddau pren yn mynd yn galetach ac yn galetach, ac 'roedd Mari'n methu'n lân ag eistedd yn llonydd. Os oedd hi'n aflonydd, 'roedd ei thad yn gwasgu'i phenglin ac yn edrych yn gas iawn arni. Er mwyn treulio'r amser, byddai Mari'n cyfri'r gwe pry'cop ar nenfwd uchel y capel, neu'n dyfeisio siapiau yn y cysgodion a deflid gan lampau'r capel.

Weithiau, pan ddarllenai'r gweinidog o'r Beibl mawr du, byddai Mari'n ceisio dychmygu'r teimlad o allu darllen. 'Roedd hi unwaith wedi sleifio i'r sêt fawr ar ôl y gwasanaeth, a sefyll ar flaenau'i thraed i sbecian ar y marciau duon rhyfedd a redai ar draws y dudalen. Fedrai hi ddim deall sut y gallai neb wneud pen na chynffon ohonynt, a châi hi byth mo'r cyfle!

Ond yn sydyn un dydd Sul, dywedodd y gweinidog, "Mae gen i gyhoeddiad arbennig iawn." Cliriodd ei wddf yn bwysig. "'Rydym am gael ysgol yn y pentref. Caiff pob plentyn fynd yno. Bydd yr ysgol newydd yn agor yr wythnos nesaf."

Prin y gallai Mari gredu ei chlustiau!

Ond 'roedd yn wir.'Roedd athro arbennig am sefydlu ysgol yn y festri am dri mis cyfan. Nid yn unig câi Mari'r cyfle i ddysgu darllen a 'sgrifennu, câi hefyd weld ei ffrindiau bob dydd! Fedrai hi ddim aros! Âi'r dyddiau heibio'n arafach nag arfer, ac 'roedd y tasgau a gâi gan ei mam i'w gwneud yn ymddangos yn fwy diflas nag arfer.

Pan ddaeth y dydd i Mari ddechrau yn yr ysgol, 'roedd hi mor gynhyrfus nes iddi ddeffro ymhell cyn i'r wawr dorri.

Gorweddai gan syllu allan o ffenestr ei llofft ar yr awyr dywyll. Tybed sut deimlad fyddai i ddarllen, i ddeall y marciau rhyfedd a gadwai gyfrinachau storïau am bobl a lleoedd nad oedd hi wedi dychmygu amdanynt. Yna'n sydyn 'roedd arni ofn. Efallai y byddai'n rhy anodd iddi. Efallai y byddai'n methu gwneud dim ohono, ac y byddai'r lleill yn chwerthin am ei phen. Ynghanol ei chyffro teimlai ryw lwmp caled o boendod yn ei stumog.

'Roedd Mari'n falch iawn felly pan welodd y wawr yn torri o'r diwedd dros y bryniau. Neidiodd o'i gwely, gwisgodd y dillad glân oedd yn barod ganddi ers y noson cynt, a chripiodd i lawr y grisiau fel llygoden. Torrodd ychydig o fara a chaws i ginio, a'i lapio'n ofalus mewn lliain bach sgwâr. Yna deffrodd ei rhieni, ffarweliodd â nhw, a dechreuodd gerdded y ddwy filltir i'r ysgol.

Pan gyrhaeddodd, 'roedd y rhan fwyaf o'r plant eraill yn aros yn gynhyrfus y tu allan. O'r diwedd, agorodd Mr. Ellis, yr athro, y drws. Aeth pawb i fewn fesul un, ac eistedd. 'Roedd y plant i gyd gyda'i gilydd mewn un dosbarth, y rhai chwech oed a'r rhai tair-ar-ddeg oed, oherwydd fu dim un ohonynt mewn ysgol o'r blaen.

Rhoddodd Mr. Ellis lechen a darn o sialc i bawb, a dangosodd iddynt sut i wneud siâp llythrennau. 'Roedd y sialc yn gwneud sŵn gwichian ofnadwy ar y lechen, ond prin y sylwai Mari, gan ei bod yn canolbwyntio mor galed, â'i thafod allan yn yr ymdrech. Dyma'r amser gorau a gafodd erioed!

Fel yr âi'r dyddiau heibio o un i un, dechreuodd Mr. Ellis 'sgrifennu geiriau cyfain ar y bwrdd-du. Cyn gynted ag y gallai plentyn ddarllen y geiriau yma, câi fynd i'r sêt fawr a cheisio darllen o'r unig lyfr yno - yr unig lyfr a welsai Mari erioed - y Beibl mawr a ddefnyddiai'r gweinidog ar y Sul.

Dysgodd Mari'n gyflym, a chyn bo hir gallai ddarllen tudalen gyfan ar y tro. 'Roedd wrth ei bodd yn darllen storïau Iesu, a straeon yr Hen Destament am bobl fel Noa a Jona. Un diwrnod, ar y daith hir adref o'r ysgol, cafodd Mari ei hun yn breuddwydio sut deimlad fyddai cael llyfr iddi hi ei hun.

Cafodd syniad sydyn! Rhuthrodd adref, ac i'r tŷ at ei rhieni fel mellten.

"'Rydwi wedi penderfynu. 'Rydwi'n mynd i gasglu fy mhres i gael fy Meibl fy hun!"

'Doedd dim ateb. Edrychodd ar ei mam a'i thad. Yn lle bod yn falch, edrychent yn boenus.

"Ond mae llyfrau'n ddrud iawn," meddai ei mam o'r diwedd, "yn rhy ddrud i bobl fel ni. Hoffwn i ddim i ti gael dy siomi."

"Paid ti â dechrau meddwl dy hun 'ngeneth i," meddai ei thad.

'Roedd Mari wedi cynhyrfu'n lân.

"Mi ga'i Feibl!" gwaeddodd, "hyd yn oed os bydd yn rhaid i mi hel fy mhres am ugain mlynedd. Beth bynnag mi fedra i ddarllen. Arhoswch chi tan y Sul nesaf. Mi gewch chi weld."

Dechreuodd feichio crïo, a rhuthrodd i fyny i'w hystafell wely. Edrychodd ei rhieni'n anhapus ar ei gilydd.

Cyn mynd i'w wely, aeth tad Mari i'w weithdy, ac wrth olau cannwyll, gwnaeth focs pren cryf. Ar ôl iddo'i orffen, cuddiodd ef o dan ei fainc.

Dyna syndod a gafodd tad a mam Mari yn y capel y Sul dilynol! Cyhoeddodd y gweinidog "Mari Jones fydd yn darllen o'r Beibl i ni y bore 'ma."

Â'i hwyneb ar dân a'i chalon yn curo, cododd Mari ar ei thraed a cherddodd i'r sêt fawr. Trodd dudalennau'r llyfr mawr yn ofalus nes daeth at y lle a farciwyd iddi gan Mr. Ellis. Yna cymerodd anadl ddofn a dechreuodd ddarllen. Ar y cychwyn 'roedd ei llais braidd yn grynedig, ond toc daeth yn uwch ac yn gryfach wrth iddi ddarllen yn Gymraeg eiriau Iesu Grist.

"Pob un felly sy'n gwrando ar y geiriau hyn o'r eiddof ac yn eu gwneud, fe'i cyffelybir i ddyn call, a adeiladodd ei dŷ ar y graig. Disgynnodd y glaw a daeth y llifogydd, a chwythodd y gwyntoedd a tharo yn erbyn y tŷ hwnnw, ond ni syrthiodd, am ei fod wedi ei sylfaenu ar y graig."

Wedi iddi orffen, brysiodd Mari'n ôl i'w lle. Edrychodd wysg ei hochr ar ei rhieni. 'Roeddynt yn wên o glust i glust. Ar ôl y gwasanaeth, daeth llawer o bobl at Mari i'w llongyfarch am ddysgu darllen mor gyflym.

"'Rydych chi wedi dotio arni," meddai Mrs. Evans, gwraig fferm fawr gyfagos, wrth fam Mari.

"Wel ydym," meddai ei mam, "ond mae hi wedi cael rhyw syniad rhyfedd i hel er mwyn prynu Beibl ei hun."

"Mae hi'n siŵr o lwyddo," meddai Mrs. Evans. "Mae merch â'r fath benderfyniad i ddysgu darllen mor gyflym yn sicr o lwyddo mewn unrhyw beth y mae'n rhoi ei bryd arno. Yn y cyfamser, rhaid iddi ddod i ymarfer darllen ein Beibl ni gartref."

Felly y Sadwrn dilynol, dyma Mari'n curo ar ddrws ffrynt mawr y ffermdy. 'Roedd hi braidd yn nerfus. 'Roedd y tŷ'n llawer mwy moethus na thŷ Mari. 'Roedd ynddo lawer o ffenestri, a iard anferth o'i gwmpas.

Aeth Mrs. Evans â Mari i ystafell â dodrefn tywyll trwm ynddi, a lliain lês ar y bwrdd. Nid un llyfr oedd yno, ond rhes o lyfrau mewn trefn ar silff. 'Roedd Mari'n methu deall beth yn y byd y gallent fod. Estynnodd Mrs. Evans y Beibl i lawr o'r silff, a thynnodd gadair at y bwrdd i Mari.

"Cymer dy amser, cariad," meddai, "wedyn tyrd i'r gegin i ti gael diod cyn i ti fynd adref."

Trodd Mari'r tudalennau'n ofalus. Dechreuodd gyda'r penodau a ddysgwyd ganddynt yn yr ysgol, gan redeg ei bys o dan y geiriau wrth iddi ddarllen. Yna, trodd i bennod gynta'r Beibl, a darllen hanes dechreuad y byd. Ceisiai gofio popeth a ddarllenai, er mwyn iddi gael ei ail-adrodd i'w rhieni pan âi adref.

Toc, dechreuodd nosi. 'Doedd Mari ddim yn hoffi gofyn i Mrs. Evans am gannwyll. Felly, rhoddodd y Beibl yn ôl yn ofalus yn ei le ar y silff, ac aeth am y gegin. 'Roedd Mrs. Evans yn pobi ar fwrdd cegin mawr gwyn. Gwenodd, a rhoi cwpanaid o lefrith a theisen gri gynnes i Mari.

"Cofia ddod unrhyw amser," meddai.

"Diolch yn fawr iawn," meddai Mari, ac ychwanegodd yn swil "Beth hoffwn i wneud yn fwy na dim fyddai hel pres i gael fy Meibl fy hun."

Gwenodd Mrs. Evans wedyn. "'Rydwi'n meddwl y gwnaiff dy fam a dy dad dy helpu," meddai.

Ar ôl mynd adref, tynnodd Mari ei mantell a'i hongian ar y bachyn. Wrth iddi droi i fynd i'r ystafell, estynnodd ei thad rywbeth iddi.

"Rydym ni'n gwybod gymaint 'rwyt ti eisiau Beibl," meddai. "Fe wnawn ni ein gorau glas i'th helpu di. Dyma i ti focs bach i gadw dy bres ynddo." Estynnodd iddi'r bocs pren a guddiodd o dan ei fainc.

"Fe gei di ddwy iâr i ti dy hun, a chei werthu eu hwyau," meddai ei mam.

"Ac fe gei di un cwch gwenyn i ti dy hun, i ti allu gwerthu'r mêl gei di gan y gwenyn," ychwanegodd ei thad.

"O diolch, diolch," meddai Mari, gan eu cofleidio. "Mi weithia i hynny a fedra i nes ca'i fy Meibl."

A dyna'n union a wnaeth.

'Doedd plant yr oes honno ddim yn cael pres poced, felly 'roedd yn rhaid i Mari chwilio am ffyrdd i ennill pres, yn ogystal â dal i wneud ei thasgau yn y tŷ. Pan fyddai rhywfaint o wlân ar ôl wedi i'w mam fod yn gwau, crefai Mari amdano er mwyn cael gwau 'sanau amryliw i'w gwerthu yn y farchnad. A phan ddôi amser y cynhaeaf ŷd, er mai ifanc iawn oedd hi, âi Mari i weithio ar y ffermydd cyfagos gan helpu i glymu'r ysgubau ŷd, a'u pentyrru at ei gilydd. Ond 'roedd yn waith blinedig dros ben, a dim ond ychydig geiniogau'r dydd a gâi hi am ei llafur.

Araf iawn y tyfai'r pentwr pres yng nghadw-mi-gei Mari. Câi ei themtio weithiau i roi'r ffidil yn y to, ac i wario'r arian ar ffrog ddel neu ar bâr o esgidiau newydd. Ond yna, byddai'n ei hatgoffa'i hun bod pob ceiniog ychwanegol yn y bocs yn dod â hi'n nes i gael y Beibl y breuddwydiai amdano.

Aeth chwe blynedd hir heibio. Chwe gaeaf hir a chwe chynhaeaf. Chwe phen-blwydd a chwe Nadolig. 'Roedd hi bellach wedi tyfu i fyny - yn bymtheg oed! Ond trwy gydol yr amser, pa mor brysur bynnag oedd hi, nid anghofiodd Mari am ei phenderfyniad i gael Beibl iddi hi ei hun ryw ddiwrnod.

Un noson yng nghanol y gaeaf, estynnodd y bocs o'r silff-ben-tân a thywallt y pentwr pres ar y bwrdd. Cyfrifodd hwy drosodd a throsodd i wneud yn siŵr.

"Mam, 'Nhad, 'rydwi bron wedi gorffen! Dim ond ychydig o geiniogau eto, ac fe fydd gen i ddigon o bres i brynu fy Meibl! Fedra'i ddim aros tan y Sul - fe ofynna i i'r gweinidog sut i gael un. Wedyn, gynta mod i wedi casglu'r mymryn bach olaf 'na, fe fydda i'n barod."

Ond wyddai Mari ddim beth oedd o'i blaen hi! Ar ôl yr oedfa, arhosodd yn amyneddgar am gyfle i siarad â'r gweinidog.

"Mr. Hugh," meddai, "Fe wyddoch chi 'mod i'n hel pres i gael Beibl".

Cododd Mr. Hugh ei law. "Mae 'na dderyn bach wedi dweud wrtha'i eich bod chi wedi casglu digon. Mae 'na rai ohonom yn y pentref wedi casglu ychydig i gyrraedd y swm angenrheidiol."

Gwthiodd fag bychan o geiniogau i'w llaw.

Wyddai Mari ddim beth i'w wneud nac i'w ddweud. Gwyddai na allai'r rhan fwyaf o bobl y pentref fforddio rhannu dim o'u pres.

"Wnewch chi ddiolch yn fawr i bawb drosta'i? meddai. "'Rwan, dywedwch wrtha i ble mae'n rhaid i mi fynd i gael fy Meibl."

Edrychodd Mr. Hugh yn ddifrifol arni.

"Mari," meddai "y lle agosaf yw'r Bala, ac mae hynny bum-milltir-ar-hugain oddi yma. Gymaint o ffordd dair gwaith ar ddeg ag ydych chi'n ei gerdded i'r capel."

"Rydwi wedi arfer cerdded," meddai Mari'n hyderus. Petrusodd Mr. Hugh.

"Ond, Mari, beth petai dim Beiblau ar ôl erbyn i chwi gyrraedd?"

Gwenodd Mari arno.

"'Rydwi'n berffaith sicr y bydd 'na Feibl," meddai.

Gwenodd Mr. Hugh yn ôl arni, ond 'doedd o ddim mor siŵr.

Gwyddai rhieni Mari nad oedd gobaith ganddynt ei rhwystro i fentro ar ei thaith hir, a hithau wedi bod yn cynilo mor hir. Felly, yn gynnar iawn un bore, dyma nhw'n ei chofleidio ac yn ffarwelio â hi, gan weddïo y byddai Duw'n gofalu amdani.

Yn ei llaw, cariai Mari fara a chaws wedi ei osod mewn lliain bach, i'w fwyta ar y ffordd. Yn ei phoced 'roedd pwrs yn llawn o'r arian a gasglodd. Dros ei hysgwydd cariai fag lledr 'roedd hi wedi ei wnïo'n arbennig i gario'i Beibl gwerthfawr ynddo. Ar ei chof 'roedd enw a chyfeiriad a roddodd y gweinidog iddi. 'Roedd ganddo ffrind yn byw yn Y Bala, ac 'roedd wedi dweud wrth Mari am fynd i chwilio am dŷ Mr. Edwards, y munud y cyrhaeddai. Byddai ef yn sicr o'i helpu.

Ar y dechrau, 'roedd y daith yn hawdd. Gwyddai Mari am bob llwybr o gwmpas ei phentref hi. 'Roedd yn ddiwrnod heulog braf, a cherddai hi'n ysgafn, gan fwmian canu dan ei gwynt. 'Nawr ac yn y man, gwelai rywun yn sbecian yn ffenestr bwthyn, neu bobl yn gweithio yn y caeau, a gwaeddai "Helo!" Ond wnaeth hi ddim arafu. Gwyddai fod ganddi ffordd bell iawn i fynd.

Pan oedd yr haul yn union uwchben, dyfalodd Mari ei bod yn hanner dydd. Eisteddodd wrth ffrwd fach i orffwys, yfodd beth o'r dŵr clir, a golchodd ei thraed blinedig yn y ffrwd. Bwytaodd y rhan fwyaf o'r bara a'r caws, gan gadw peth ohono rhag angen.

Ar ôl cinio, cychwynnodd Mari eto, ond erbyn hyn 'roedd y daith yn galetach o lawer. 'Roedd llwybrau'r bryniau'n fwy serth, y ddaear yn galetach, a'r haul yn boethach nag y bu. Am y tro cyntaf, dechreuodd Mari boeni a fyddai'n cyrraedd pen ei thaith. 'Roedd eisoes wedi bod yn cerdded am saith awr, ac 'roedd llawer o ffordd i fynd eto.

Yna, daeth syniad erchyll i'w meddwl, gan wneud iddi deimlo'n swp sâl; beth petai dim Beibl ar gael? Beth petai'r ychydig Feiblau a argraffwyd yn Gymraeg, wedi mynd i gyd? Ymlwybrodd Mari ymlaen, gan geisio rhoi'r peth o'i meddwl. Ond 'roedd ei choesau fel pren, a hithau wedi blino, a mwy nag unwaith, baglodd ar y llwybr caregog. 'Roedd dagrau o boen a blinder yn llenwi'i llygaid.

O'i blaen, ymrannai'r llwybr yn ddau. Pa ffordd y dylai fynd? 'Doedd dim amser i wneud camgymeriadau os oedd hi am gyrraedd Y Bala cyn nos. 'Roedd ar Mari ofn am ei bywyd. Ymdrechodd yn galed i gofio'r cyfarwyddiadau a gafodd gan ei thad. Yna dewisodd lwybr troellog i fyny allt goediog. Pan orffwysodd ar y gamfa ar ben yr allt, edrychodd i lawr, a gwelodd o'r diwedd, er mawr ryddhad iddi, dref Y Bala yn union o'i blaen.

Daeth ynni newydd i Mari o rywle, 'Roedd fel petai'n hedfan i lawr y llwybr serth at ymylon y dref, ac mewn chwinciad, cafodd hyd i dŷ Mr. Edwards. Fel yr agorai'r drws yn sydyn, teimlai Mari'n swil. Yna daeth ei geiriau allan yn un rhes ar un gwynt.

"Os gwelwch chi'n dda syr, mae gweinidog Abergynolwyn yn dweud ei fod yn ffrind i chi. Mari Jones ydi f'enw i - a 'rydwi wedi bod yn casglu 'mhres ers chwe blynedd i brynu Beibl - ac fe dd'wedodd o..."

"Hanner munud," meddai llais tyner. "Dowch i'r tŷ a dechreuwch o'r dechrau."

Edrychodd Mari ar wyneb caredig Mr. Edwards, ac yna dilynodd ef i'r tŷ. Wedi iddo glywed stori Mari i gyd, 'roedd wedi ei syfrdanu.

"Ydych chi wedi cerdded pum milltir ar hugain heddiw?" gofynnodd. Amneidiodd Mari. Yn sydyn, 'roedd mor flinedig fel mai prin y gallai sefyll.

"Wel yn gynta', 'rydych chi angen pryd o fwyd a noson dda o gwsg. Yfory, fe awn i chwilio am Feibl i chi."

Aeth morwyn Mr. Edwards â Mari drwodd i'r gegin i gael pryd da o fwyd, ac yna gosododd hi mewn gwely plu mawr, a chwilt cartref drosti. Cyn gynted ag y rhoddodd ei phen ar y gobennydd, syrthiodd Mari i gysgu, gan freuddwydio am drannoeth.

Y bore wedyn, eglurodd Mr. Edwards y buasai'n rhaid iddynt alw i weld Mr. Charles, a dderbyniodd becyn o Feiblau Cymraeg o Lundain. Ef oedd y dyn a allai werthu Beibl i Mari.

"Dim ond gobeithio bod ganddo un ar ôl," meddai Mr. Edwards dan ei wynt wrth iddynt brysuro trwy'r strydoedd culion.

Ar ôl iddynt egluro'u neges i Mr. Charles dywedodd y gŵr hwnnw, "Dyna drueni, gwerthais y Beibl olaf ddoe." Llanwodd llygaid Mari â dagrau, a phrin y gallai egluro i Mr. Charles pa mor bell 'roedd wedi cerdded, a chymaint yr ymdrech a wnaeth. Yna'n sydyn, goleuodd wyneb Mr. Charles.

"Arhoswch funud," meddai.

"Mae yma Feibl a gedwais i ffrind i mi.

Cewch fynd â hwnnw. Caiff fy ffrind un eto." Ni allai Mari ddweud gair, ond daeth llawenydd i'w hwyneb yn lle dagrau.

Estynnodd Mr. Charles Feibl newydd sbon wedi ei rwymo'n hardd i Mari. Gafaelodd hithau ynddo â'i dwy law ac edrych arno'n syn. Ei Beibl ei hun o'r diwedd. Prin y gallai gredu'r peth. Yna rhoddodd ei phwrs llawn i Mr. Charles, a gosododd y Beibl yn ofalus yn ei bag lledr.

"Darllenwch o'n ofalus, a dysgwch ohono," meddai Mr. Charles wrth iddo ffarwelio â Mari.

"Fe wna i, a diolch!" galwodd hithau, gan fynd ar wib i fyny'r stryd.

Ymddangosai'r daith adref yn llawer byrrach na thaith y diwrnod cynt. Gwibiodd Mari dros y bryniau gan afael yn dynn yn ei bag lledr. Ond 'roedd hi wedi blino'n arw erbyn i lampau'r pentref ddod i'r golwg yn y pellter. 'Roedd ei mam a'i thad a'i holl ffrindiau yn aros amdani ar gwr y pentref.

Daliodd Mari'r Beibl yn uchel uwch ei phen. "Rydwi wedi cael un, 'rydwi wedi cael un," gwaeddodd. A sibrydodd yn ddistaw wrthi'i hun, "O'r diwedd fe allaf ddarllen fy Meibl fy hun yn fy iaith fy hun."

Ymhell ar ôl i Mari gychwyn adref, eisteddai Mr. Charles yn ei stydi yn meddwl am y ferch a gynilodd mor hir ac a gerddodd mor bell i gael Beibl Cymraeg iddi hi ei hun. 'Roedd Beiblau Cymraeg yn brin fel aur, a hyd yn oed pan oeddynt ar gael, 'roeddynt yn rhy ddrud o'r hanner i bobl gyffredin allu eu fforddio. Penderfynodd Mr. Charles wneud rhywbeth ynglŷn â'r mater.

Ac felly, ymhen ychydig fisoedd, mewn cyfarfod arbennig o bobl bwysig yn Llundain, dringodd Mr. Charles i'r llwyfan a dweud, "Foneddigion a boneddigesau, fe hoffwn i ddweud stori wir wrthych chi am ferch fach o'r enw Mari Jones..."

Gwrandawodd yr holl bobl yn astud iawn wrth iddo ddisgrifio sut 'roedd Mari wedi casglu'i harian yn amyneddgar, a cherdded yr holl ffordd i'r Bala i gael y Beibl 'roedd wedi breuddwydio amdano. Wedi iddo orffen, bu distawrwydd llethol. Yna'n sydyn, dechreuodd pobl godi ar eu traed.

"Rhaid i ni argraffu rhagor o Feiblau Cymraeg," meddai un.

"A gofalu eu bod yn rhatach," galwodd rhywun arall.

Yna galwodd llais cryf o'r cefn: "Pam na chawn ni Feiblau ym mhob iaith?"

Felly, yn y fan a'r lle, ffurfiwyd cymdeithas i baratoi Beiblau ym mhob iaith bosibl i bobl ym mhob rhan o'r byd.

Fuasai Mr. Charles byth wedi dychmygu y byddai'r un gymdeithas yn brysur heddiw, ddau gan mlynedd yn ddiweddarach. Ei henw yw Cymdeithas y Beibl neu'r Feibl Gymdeithas fel 'rydym ni'r Cymry'n arfer ei galw. Wrth gydweithio â Chymdeithasau Beiblau mewn gwledydd eraill mae wedi cyfieithu'r Beibl i dros dri chant o ieithoedd, a rhannau o'r Beibl i dros fil a hanner o ieithoedd. Ond mae llawer mwy o waith i'w wneud cyn i'r dydd wawrio pan na fydd neb yn gorfod cynilo mor hir, na cherdded mor bell ag a wnaeth Mari Jones. Efallai, ryw ddydd, y daw arwyddair Cymdeithas y Beibl yn wir - "Beibl i bawb o bobl y byd."

Mae Cymdeithas y Beibl Frytanaidd a Thramor yn aelod o Gymdeithasau Beibl Unedig, sef partneriaeth rhyngwladol sy'n gweithio mewn dros 180 o wledydd. Trwy Gymru gyfan mae yna bobl sy'n cefnogi gwaith y Feibl Gymdeithas Frytanaidd a Thramor mewn amryw ffyrdd. Mae rhai unigolion yn aelodau o "Glwb Beibl y Mis" sy'n cynorthwyo eraill i dderbyn Beibl yn rhad ac am ddim. Mae aelodau o'r eglwysi hefyd yn helpu gyda'r gwaith drwy'r cynllun partneriaeth ac maent, mewn llawer cylch, wedi ffurfio cangen leol. Gan iddynt gael eu hysbrydoli gan stori Mari Jones a Thomas Charles maent heddiw yn gweithio yn fyd eang drwy ddosbarthu Beiblau. Yn ogystal â gweddïo dros y gwaith maent hefyd yn gweithredu trwy godi arian i brynu Beiblau i eraill. Nod y Gymdeithas felly yw rhoi Beibl, yn eu hiaith eu hunain, i holl bobl y byd.